The Travels of
IGAL SHIDAD

Safarada **CIGAAL SHIDAAD**

A Somali Folktale

Retold by Kelly Dupre
Illustrated by Amin Amir
Somali translation by Said Salah Ahmed

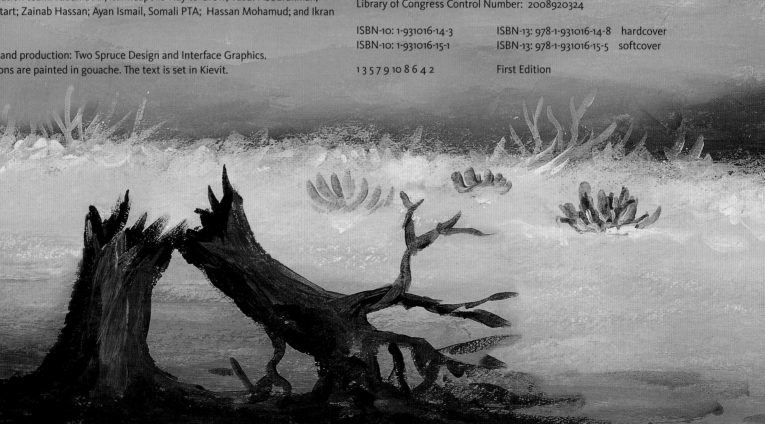

The Somali Bilingual Book Project is dedicated to all refugee children and their families. Many thanks to those who shared stories to make this project possible.

Mashruuca Buuggaga af-Soomaaliga ee labada-af ah, waxa loo hibeyey dhamaan carruurta qaxootiga ah oo dhan iyo qoysaskooda. Way ku mahadsan yihiin dadkii sheekooyinkooda noo soo bandhigay ee suurta galiyey hirgelinta mashruucan.

The Travels of Igal Shidad / Safarada Cigaal Shidaad
Text and illustrations copyright © 2008 by the Minnesota Humanities Center.

Minnesota Humanities Center / Somali Bilingual Book Project
987 Ivy Avenue East, Saint Paul, MN 55106
www.minnesotahumanities.org

Somali Bilingual Book Project Director: Kathleen Moriarty
Somali translation: Said Salah Ahmed
Somali translation team: Faduma Ali, Minneapolis Way to Grow; Yusuf Abdurahman, PICA Head Start; Zainab Hassan; Ayan Ismail, Somali PTA; Hassan Mohamud; and Ikran Mohamud.

Book design and production: Two Spruce Design and Interface Graphics.
The illustrations are painted in gouache. The text is set in Kievit.

The Minnesota Humanities Center would also like to thank: Fadumo Abdi, Abdisalam Adam, Nasra Aden, Ali Jimale Ahmed, Maryan Ali, Betsy Bowen, Kelly Dupre, Marian Hassan, Mohamed Hassan, Chris Heppermann, Ismid Khalif, Mohamed Mohamud, Lynn Morasco, Julie Nelson, and Pat Thomas.

The Somali Bilingual Book Project is a component of the Minnesota Humanities Center's bilingual and heritage language programs. These programs develop families' English literacy skills while recognizing and supporting the role of families' home languages in early literacy development. Through these programs, the Humanities Center reaches out to K-6 teachers, parent educators, early childhood educators, librarians, social service providers, and other literacy professionals. These Humanities Center programs: connect educators to existing resources that enhance language development; offer professional development on oral traditions and the connection between language and culture; and collaborate with community representatives to develop new culturally and linguistically appropriate resources. The Somali Bilingual Book Project initially includes publication of four traditional Somali folktales—*The Lion's Share, Dhegdheer, Wiil Waal, and The Travels of Igal Shidad*—in hardcover and paperback editions and a dual-language audio recording of all four stories.

Visit www.minnesotahumanities.org to download
free online resources for use in educational settings.

Library of Congress Control Number: 2008920324

ISBN-10: 1-931016-14-3   ISBN-13: 978-1-931016-14-8   hardcover
ISBN-10: 1-931016-15-1   ISBN-13: 978-1-931016-15-5   softcover

1 3 5 7 9 10 8 6 4 2   First Edition

Author's Note

Long ago, Igal Shidad lived in Somalia. Like many Somali people, he and his family were nomadic herders of camel and sheep. They traveled the land in search of water and grass for their animals. Thousands of funny stories were told of Igal because even though he was a wise man, he was also known as a coward. Igal's unreasonable fears caused him much trouble, but with cleverness and faith, he always managed to find solutions to his problems. This tale of Igal is still told to every Somali child.

Ereyga Qoraaga

Waa hore, ayuu Cigaal Shidaad ku noola meel dhulka Soomaaliyeed ka mid ah. Sida dad badan oo Soomaali ah, ayaa isaga iyo qoyskiisu lahaayeen xoolo badan oo ay ka mid yihiin ari iyo geel. Waxa ay ahaayeen reer guuraa marba meeshii baad ama geedo iyo biyo leh xoolahooda ula guura. Sheekooyin aad u badan oo maad ah ama qosol leh ayaa laga sheegaa Cigaal Shidaad. Inkasta oo uu ahaa nin murti badan, haddana waxaa kale oo uu caan ku noqday fulaynimadiisa. Cigaal baqdintiisa sabab la'aaneed ayaa u keentay dhibaatooyin badan, laakiin fariidnimadiisa iyo iimaankiisa ayuu kaga bixi jirey dhibaatooyinkaas. Cigaal sheekadiisan ayaa ilaa hadda looga sheekeeyaa ilmo kasta oo Soomaali ah.

A story, a story, it's time for a story. . .

The night was dark, the path long and dusty, but Igal kept
walking. A horrible drought had spread across the land.
His animals were dying of thirst and his family was suffering.
He needed to find a better place for them to live.

Sheekoy, sheeko, sheeko xariira. . .

Waqti abaar xumi dhacday ayaa Cigaal safar dheer ku bilaabay gudoodi
habeen, mugdi ah. Isaga oo aan socodka kala joojin ama aan hakan ayuu
maray jid habaas badan. Xoolihiisa oo harraad u bakhtiyaya iyo qoyskiisii oo
abaartu naafaysay ama aad u waxyeelaysay ayuu u sahan tegey in uu u soo
helo meel uga wanaagsan tan ay markaa deganaayeen.

To ease his worry, Igal whispered his traveling prayer:

May Allah give me swiftness toward fresh water, grass, and trees.

Igal kept walking. As he dreamed of better days, the path passed quickly under his feet.

In safarkiisa iyo welwelka hayey Alle u sahlo, ayuu Cigaal xusuustay ducadii dadka
safarka ah loogu ducayn jirey oo hoos ugu ducaystey:

*Allahay ha iiga dhigo, jidka toobiye, dhulka taaka taako, qorraxdu dalaalimo,
dadkana aabiyo hooyo.*

Allihii daai'n ahaayow!

Degdeg iigu hagaaji, meel deegaan iyo roob leh, oo biyuhu durduraan.

Cigaal waa sii kabtiyey ama socodkii sii watay. Isaga oo ku hamiyaya maalin tan u
dhaanta, ayaa wadadii uu socdey u gaabatay.

Suddenly, a loud screech broke the quiet night. Igal jumped. His heart pounded. He looked around and saw a vulture sitting high in a tree. "You wicked-faced bird! Be off with you!" He waved his dagger as the vulture's wide wings cut through the black sky.

Si kedis ah ayuu maruun umaqlay sanqadh ka baraarujisay ama ka toosisey habeenkii deganaa iyo fekerkii uu ku maqnaa. Cigaal baa kor u boodey. Wadnihiisii baa naxdin la fugfug yiri. Hareeraha ayuu fiirfiiriyey oo arkay gorgor fadhiya geed dheer korkiisa. "Shinbiryohow baas, iga tag oo i daa," ayuu Cigaal yiri. Bilaawihiisii ayuu galka kala soo boodey oo gacanta ku walhiyey, isaga oo sii eegaya gorgorkii oo baalasha kala fidiyey oo cirka mugdiga ah isku shareeray.

To calm himself, Igal continued his traveling prayer:

May Allah give me swiftness toward fresh water, grass, and trees.

May Allah hold back dangers so that I may safely cross.

Igal kept walking. As he turned around a bend, he noticed the grass was a little greener.

Si uu isu dejiyo, Cigaal inta uu sheydaanka iska naaray ayuu ducadiisii sii watay:

Allihii daai'n ahaayow! Degdeg iigu hagaaji, meel deegaan iyo roob leh, oo biyuhu durduraan.

Allahayow iga daa, iga daafac balaayo, nabad aan ku durkaayoo, dariiqa aan ku gudbaa.

Cigaal hore ayuu u sii talaabsaday. Isaga oo la leexanaya meel wadadu ka qaloocsanto, oo xagal ah, ayuu dareemay in geeduhu doog soo noqonayaan.

He looked up and suddenly saw a large shadow in the distance. "Who goes there?" he called, but the shadow did not move or make a sound. "What could it be?" he wondered.

Wax buu sii eegay, meel ka durugsan buu ka arkay hoosiis. "Aryaa meesha maraya?" ayuu ku dhawaaqay, laakiin harkii uu arkay ma dhaqaaqin mana sanqadhin. Isaga oo yaaban ayuu yiri, "Muxuu waxani noqon karaa?"

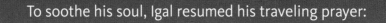

To soothe his soul, Igal resumed his traveling prayer:

May Allah give me swiftness toward fresh water, grass, and trees.

May Allah hold back dangers so that I may safely cross.

May Allah's courage ease my fears so I can find the way.

Igal stopped walking. He peered toward the dark shadow, then gasped, "It's a hungry lion, waiting silently to attack and eat me!"

He decided to outwit the mighty beast by hiding and waiting for it to leave. Igal trembled as he crouched behind a rock.

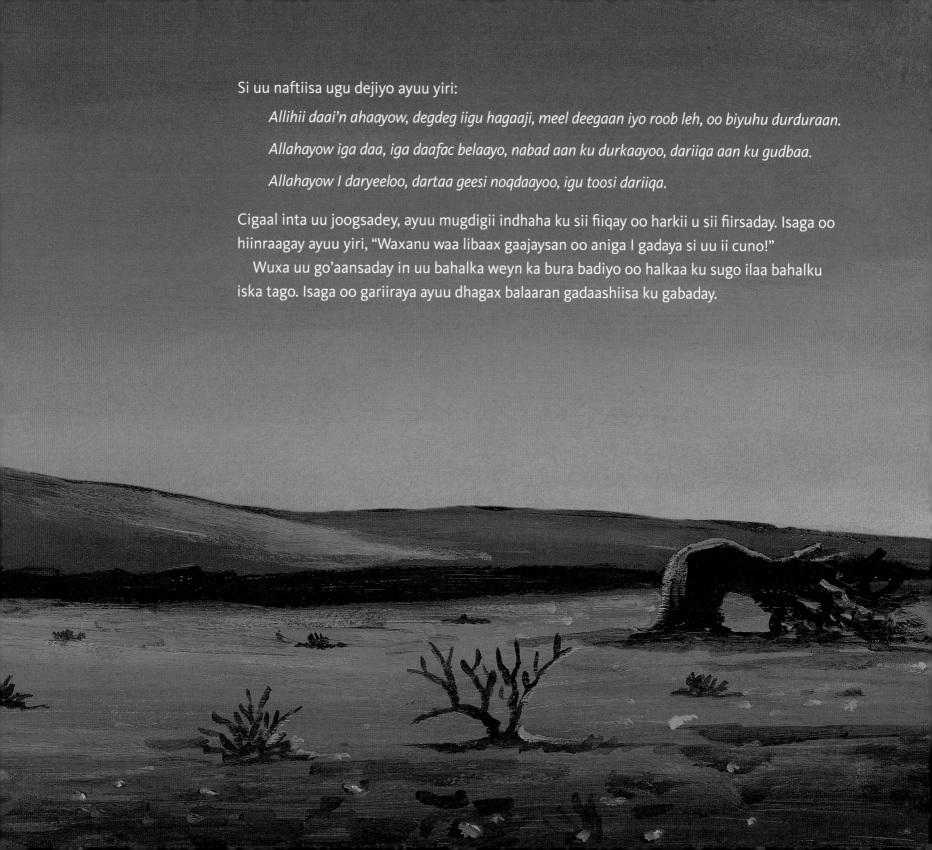

Si uu naftiisa ugu dejiyo ayuu yiri:

Allihii daai'n ahaayow, degdeg iigu hagaaji, meel deegaan iyo roob leh, oo biyuhu durduraan.

Allahayow iga daa, iga daafac belaayo, nabad aan ku durkaayoo, dariiqa aan ku gudbaa.

Allahayow I daryeeloo, dartaa geesi noqdaayoo, igu toosi dariiqa.

Cigaal inta uu joogsadey, ayuu mugdigii indhaha ku sii fiiqay oo harkii u sii fiirsaday. Isaga oo hiinraagay ayuu yiri, "Waxanu waa libaax gaajaysan oo aniga I gadaya si uu ii cuno!"
Wuxa uu go'aansaday in uu bahalka weyn ka bura badiyo oo halkaa ku sugo ilaa bahalku iska tago. Isaga oo gariiraya ayuu dhagax balaaran gadaashiisa ku gabaday.

Igal waited. He looked and still saw the large shadow. "This lion is clever. I must have patience," he thought. His bent legs ached, but he waited. His back grew sore, but he waited. No matter how long Igal waited, the lion would not leave.

Cigaal waa sugey, oo sugey. Waa fiiriyey oo sii arkay harkii weynaa oo meeshiisii jooga. Cigaal waa isla hadlay oo yiri, "Waa libaax xariif ah anna waa in aan sabraa oo adkaystaa in aan iska ilaaliyo." Inkasta oo lugihiisii laabnaa daal la xanuuneen laakiin waa sugey. Dhabarkii baa sii xanuunay waase sugey. Inkastaba Cigaal ha dhawree, haddana libaaxii ma nuuxsan.

Like a weary camel, the night slowly passed.

Sidii rati daaley, ayaa habeenkii gaabis ku dhaafay.

Finally, the inky blue light of dawn appeared. The sky turned to shades of purple, and the lion moved. With a ready spear, Igal watched.

Ugu danbayntii ayaa sagalkii arooryo soo baxay. Cirkii baa midab isu bedeley, libaaxiina waa dhaqaaqay. Cigaal oo waran diyaar la ah ayaa libaaxii sii fiiriyey.

Beams of light stretched, the sky grew red, and the lion moved again. "Perhaps I have outwitted the mighty beast," Igal said to himself, hoping the lion would soon leave.

The sun crested the horizon, changing the dawn to orange and yellow. And with the new light, Igal suddenly saw that the shape of the lion...was not a lion.

Qorraxdii baa falaarihii waaberiga keentay, cirkii baa guduudtey, libaaxiina mar kale ayuu u ekaaday in uu dhaqaaqay. "Waxaan filayaa in aan libaaxii weynaa ka raayey." Ayaa Cigaal naftiisa u sheegay, isaga oo rajo ka qaba in libaaxu degdeg isaga tago.

Qorraxdii baa soo baxday oo madaxa keentay. Waagii beryey baa midabadiisii is bedbedeleen. Iftiinkii cusbaa ayaa Cigaal ku arkay in wixii u muuqdey aanu ahayn libaax.

It was just an old tree stump.

"How could this be? Have I been fooled?" Igal scoffed in disbelief as he walked stiffly toward the stump. Angry and exhausted, he kicked the dusty ground.

Geed gaboobey oo qalalay jirridiisii ayuu ahaa.

Cigaal oo aad u xanaaqsan oo rumaysan la' waxa uu arkay, ayaa xagii jirrida u sii dhutiyey, isaga oo leh, "Sidee u dhici kartaa? Ma aniga ayaa nacasoobay," markaas ayuu ciil dartii cagaha dhulka la dhacay oo boodh ka kiciyey.

"I thought you were a lion, but what you really are is a tree stump. This will not happen again. I will no longer travel during the darkness of night," Igal declared.

"Ma waxaan ku moodey, mise waxaad noqotay, mise waxaan loo noqon doonin. Waxa aan ku moodey libaax, waxaadse noqotay jirrid, waxaan loo noqon doonin habeen socod danbe," murtidaa ayaa Cigaal ka hartay.

To ask forgiveness, Igal repeated his traveling prayer:

May Allah give me swiftness toward fresh water, grass, and trees.

May Allah hold back dangers so that I may safely cross.

May Allah's courage ease my fears so I can find the way.

As Igal prayed, he realized that all of his prayers had been answered. He had traveled quickly toward greener grass. Through the dangerous night, he was kept safe, and, with courage from Allah, he had chosen the right way.

Si uu llaahay cafis iyo denbi dhaaf u weydiisto, ayaa Cigaal ducadii safarka ku celceliyey:

Allihii daai'n ahaayow! Degdeg iigu hagaaji, meel deegaan iyo roob leh, oo biyuhu durduraan.

Allahayow iga daa, iga daafac bilaayo, nabad aan ku durkaayoo, dariiqa aan ku gudbaa.

Allahayow I daryeeloo, dartaa geesi nogdaayoo, igu toosi dariiqa.

Markii Cigaal ducadii dhameystay, ayuu dareemay in Ilaahay ducadiisii u aqblay. Waxa uu degdeg ku gaarey meel geedo cagaaran leh oo doog ah. Habeenkii halista badnaa Allahay nabad buu ku soo gudbiyey, Eebaa dhiiri geliyey oo jidkii toosna ku aadiyey.

With a smile and renewed faith, Igal kept walking.

Isaga oo dhoola cadaynaya, iimaana u sii kordhay, ayuu Cigaal socodkiisii hore u sii watay.

The Travels of Igal Shidad/Safarada Cigaal Shidaad is a publication of the Minnesota Humanities Center. This title, part of the Somali Bilingual Book Project, represents the Humanities Center's commitment to promote and preserve heritage languages while increasing English literacy skills in refugee and immigrant families.

The Humanities Center gratefully acknowledges support for the Somali Bilingual Book Project provided by: Mardag Foundation, The Jay and Rose Phillips Family Foundation, F. R. Bigelow Foundation, The Sheltering Arms Foundation, Harlan Boss Foundation for the Arts, Willis C. Helm Family Fund of The Minneapolis Foundation, Marbrook Foundation, RBC Dain Rauscher Foundation, Archie D. and Bertha H. Walker Family Foundation, TRL/West Community Partnership Program, Bromelkamp Foundation, John F. Eisberg and Susan Kline Charitable Fund of The Minneapolis Foundation, and Pratt Family Fund of The Minneapolis Foundation.

Additional support, through the Minnesota Humanities Center's early literacy programming provided by: H. B. Fuller Company Foundation, Travelers Foundation, Roundy's Foundation, Hugh J. Andersen Foundation, The McKnight Foundation, Fred C. and Katherine B. Andersen Foundation, Star Tribune Foundation, The Jostens Foundation, Metris Companies Foundation, and The Nash Foundation.

Somalia ———

Kelly Dupre is an artist and writer. A former special education teacher, she lives in Grand Marais, Minnesota. She is the author/ illustrator of *The Raven's Gift, A True Story from Greenland* and the illustrator of *The Lion's Share/Qayb Libaax* in the Minnesota Humanities Center's Somali Bilingual Book Project.

Amin Amir is an established political cartoonist and artist. Born in Somalia, he currently lives in Edmonton, Alberta, Canada. He has illustrated several books including two collections of Somali folktales, *Sheekoyinka Dadqalatadii Dhegdheer* and *Sheekoyinkii Cigaal Shidaad*. This is his second children's book for the Minnesota Humanities Center's Somali Bilingual Book Project.

Said Salah Ahmed was born in Somalia. He is an established poet, storyteller, playwright, filmmaker, and writer. A lifetime educator, he is currently a bilingual teacher and resides in Minneapolis, Minnesota. The author of *The Lion's Share/Qayb Libaax*, this is his second children's book for the Minnesota Humanities Center's Somali Bilingual Book Project.